목차

가을 사랑

만큼 사랑하고싶다 던   사 랑 할 게남은사람은   사 랑

을   찾 아 나 서 고   수 목 은   저마다의 깊 이 로

잦 아 드 네   가 을 의 절 반 이   이 -

처럼남겨진 환상 - 길같 - 은 가 -

을 날 - 에

사 랑 에   가 - 을 사 -

랑   가 을 날   의 가 을 사 - 랑   -

6

가을이 오는 소리

서 원 웅 작사
정 동 수 작곡

여름이 떠난 곳 에 — 가을이 내 려온 다 —

귀 기울여 들 으면 수숫대크 는소 리 —

투 명 한 이슬에 젖 어 — 영 그 는 풀벌레소 리 —

화 안 히트인하 늘 — 물 빛이흐 른 다 —

눈 감으면 아 득 히 내 리 는이파리 들 —

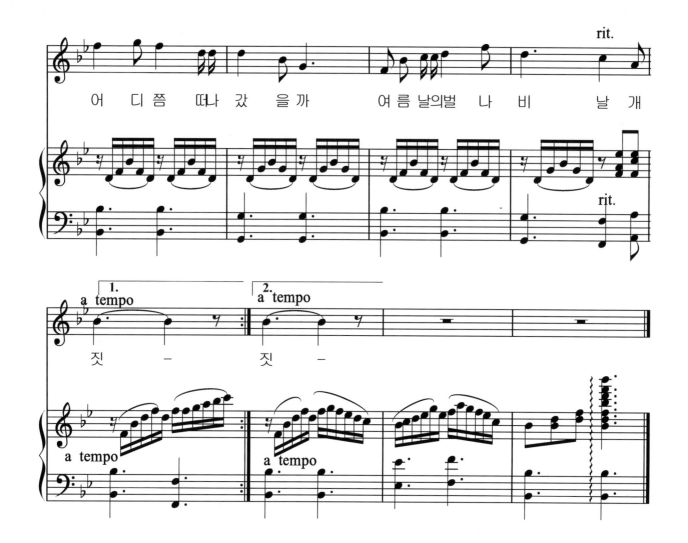

어 디 쯤 떠나 갔 을 까   여 름 날의벌 나 비   날 개

짓 -   짓 -

그리움이 말하는 사랑

표정적으로 ♩ = 76

작사 김남삼
작곡 김남삼

그 대 목 소 리 내 귀 에 — 남 아

가 슴 으 로 울 — 고　　다 정 한 그 대 의

무 표 정 얼 굴　보 고 픔 에 눈 물 뿌 — 리 네

10

온 통내 하루점령해버린   그 대생각접 으려ㅡ해

도   못 잊을 그리움이 란걸

알 면서도혼 자헤매는 맘   그 댈 처 음만 나

가 슴뛰ㅡ던날   멈 춰버린ㅡ내심ㅡ장

그 대 사 랑 출 발 이 었 오 그 때 그 렇 게 애 타 던 사

랑 한 순 간 타 버 린 불 꽃 아 니 란 걸

이 그 리 움 이 말 합 니 다 쌓 인 그 리 움

쓰 라 린 — 가 슴 흐 르 는 강 물 만 바 라 보 네

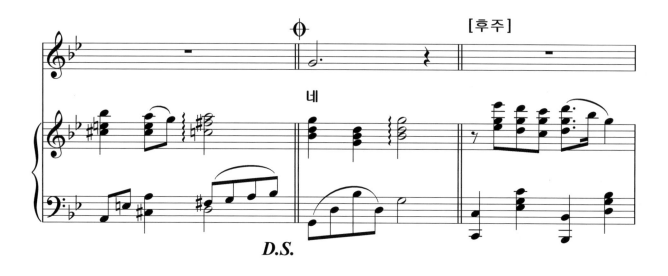

꽃 사 슴

엄 기 원 작사
정 동 수 작곡

노르스름한 털 옷에 함박눈무 — 늬

가 느다 란 가 지 에 까만발이예쁘 — 고

돌밭길은모르지 파 - 란 풀밭에서 누 나 처 럼

먼 하 늘 을 쳐 - 다 본 다

내 마음

박수진 작사
정연택 작곡

♩ = 68 정도
Andantino espressivo

mf

mp

때로는 파도 처 럼
때로는 폭 풍 처 럼

rit ----------- a tempo

mp

p

mp

출 렁 이 기 도 하 지 만
몰 아 치 기 도 하 지 만

잔 잔 한 호 수 처 럼
밤 하 늘 별 빛 처 럼

mf

mf

꿈을꾸기도 하지 요   때로는바람 처 럼
반짝이기도하지 요   때로는구름 처 럼

떠돌기도하 지 만   꽃찾은나비 처 럼
떠돌기도하 지 만   풀잎위이슬 처 럼

나래를접기도해 요   물감으 로색칠을해
고요히앉기도해 요   종이위 에연필로그

언 제 나 아 름 다 운 모 습 으 로   내 마 음 키 워 갈 래 요
언 제 나 아 름 다 운 모 습 으 로   내 마 음 키 워 갈 래 요

언 제 나 향 기 로 운 마 - 음 으 로 -
언 제 나 향 기 로 운 마 - 음 으 로 -

가 꾸 며 살 아 갈 래 요
꿈 꾸 며 살 아 갈 래 요

20

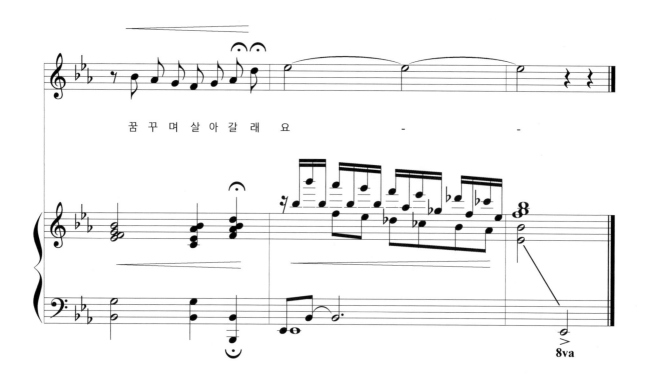

꿈꾸며 살아 갈 래 요

눈빛

작사 정호영
작곡 김남삼

♪ = 106

그리워 하는 정을 가지고

1.가 랑 — 비   내 리던 밤

가 로 등 불 빛 아 — 래 —   마 주 보 고 선   그 대 와 — 나

수 줍 게 바 라 보 던 눈 — 빛 —   말 은 없 었 어 도 빨 려 들 어 간

내 마음 알 았 을 — 까 — 아 골목이 환 했었 — 지

내 가슴 뛰 고 있었 지 — 2.강 변 — 길 걷 던 여름날

뜨 거운 햇 살 아 — 래 — 풀 숲 에 — 서

마 주 선 그대 푸 르 고 무심하던 눈 — 빛 —

23

주 고받은말은많 았었지만　뛰는가슴모 르는그

대 — 아　강물이아 득했었지

내 마음강물따라흐르 네　—

[간주]

3.저 만─치 걸어가 는그대 물끄러 미바 라보면

서 ─ 제 발뒤─를 돌 아봐주오

애 타 게 바라보던눈─빛 ─ 건 네지─못한

내 맘따라가 네 여린마음갈 곳헤맬때 ─

아 사랑이 떠 나갔었지 지금도 못 잊을눈

[후주]

빛 ─

rit.

dim.

mp

26

님은 가시고

황선태 작사
신진수 작곡

진 달 ―래 여 린 꽃잎 봄바람에흐느 끼 네
아 직 시린 바 ―람속 옷없이서둘러폈 지

다 섯 ―잎 붉은 마음 받을님은하늘 나 라
다 섯 ―잎 붉은마음 받을님은하늘 나 라

깊 은속 넣어뒀던 말 두번세번외치고싶은 데
깊 은속 넣어뒀던 말 두번세번외치고싶은 데

27

들 국 화

엄 원용 작시
정 연택 작곡

Andantino espressivo

산 들 바 - 람 불어오는   가 - 을 - 들 녘

에   들 - 국 - 화 한-송이   홀 - - 로 - 피었

29

네 누 구 를 기다리 다 혼 -

자 - 되 었 - 나 실 바 람 에 꽃 - -

향 기 만 날 리 - 고 있 네 지

금 은 가버리고   임 은 - 없어 -

도   언 - 젠   가 돌아올날   기

다 - 리 는 마 음   그 대 - 의 고운영

31

혼   향 기 가 되 어   한 -

송   이 들국화로   피   었 - 습 니 -

다   한   송 - 이 들국화로   피 - -

었 － 습 니 － 다 　 피 － － 었 　 습 니 － －

다 －

Hum (음) － －

들 국 화

선 용 작사
신진수 작곡

들 국 화　그 날처럼　피 어있ー는ー길
오 솔길　바 람속에　떨 고있ー는ー꽃

들 국 화　그 날처럼　피 어있 는ー길
오 솔길　바 람속에　떨 고있 는ー꽃

그 대는 없 네　　오 늘이자 리
새 하얀미 소　　혹 시그댄 가

2

rit.

놀 이야 타는 말어 찌알 겠 나   어찌알겠나
몇 번을 멈추 어바 라보아 도   바라보아도

a tempo ♩ = 84

꽃 처 럼   그 얼굴 눈 에선—한—데
고 개만   내 젓네 하 연들—국—화

D.C. al Fine

그 대 는 없 네   오 늘이 자 리
새 하 얀 미 소   하 얀 들 국 화

D.C. al Fine

35

망부석

최종두 작사
우덕상 작곡

얼 마-나 기다리다- - -   돌 이 되 었-나- - -

36

천년이 가도   만 년이가-도   기다리겠노라돌 이되었나- - -

바람부-는   산 위-에   홀로앉은망 부석- - - -

해 와 달이　　지켜주 리라　　해 와달이지 켜주리라-- -

아! 아-아!　무궁한세월을　해와 달이지 켜주리라 — -

아! 아ー아!　무궁한세월을　　해 와달이지 켜주리라ー ー ー

별

이병기 시, 이수인 곡

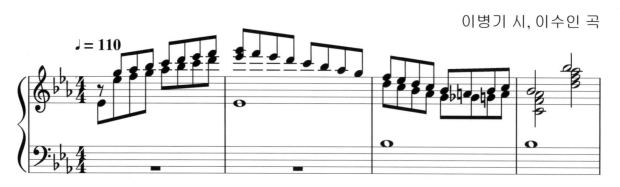

바람이 서늘도 하 여   뜰 앞에 나 - 섰더 니

서 산 - 머 리에 하 늘은   구름을 벗 어 나 고

봉숭아

정세나 작사
신진수 작곡

Andante

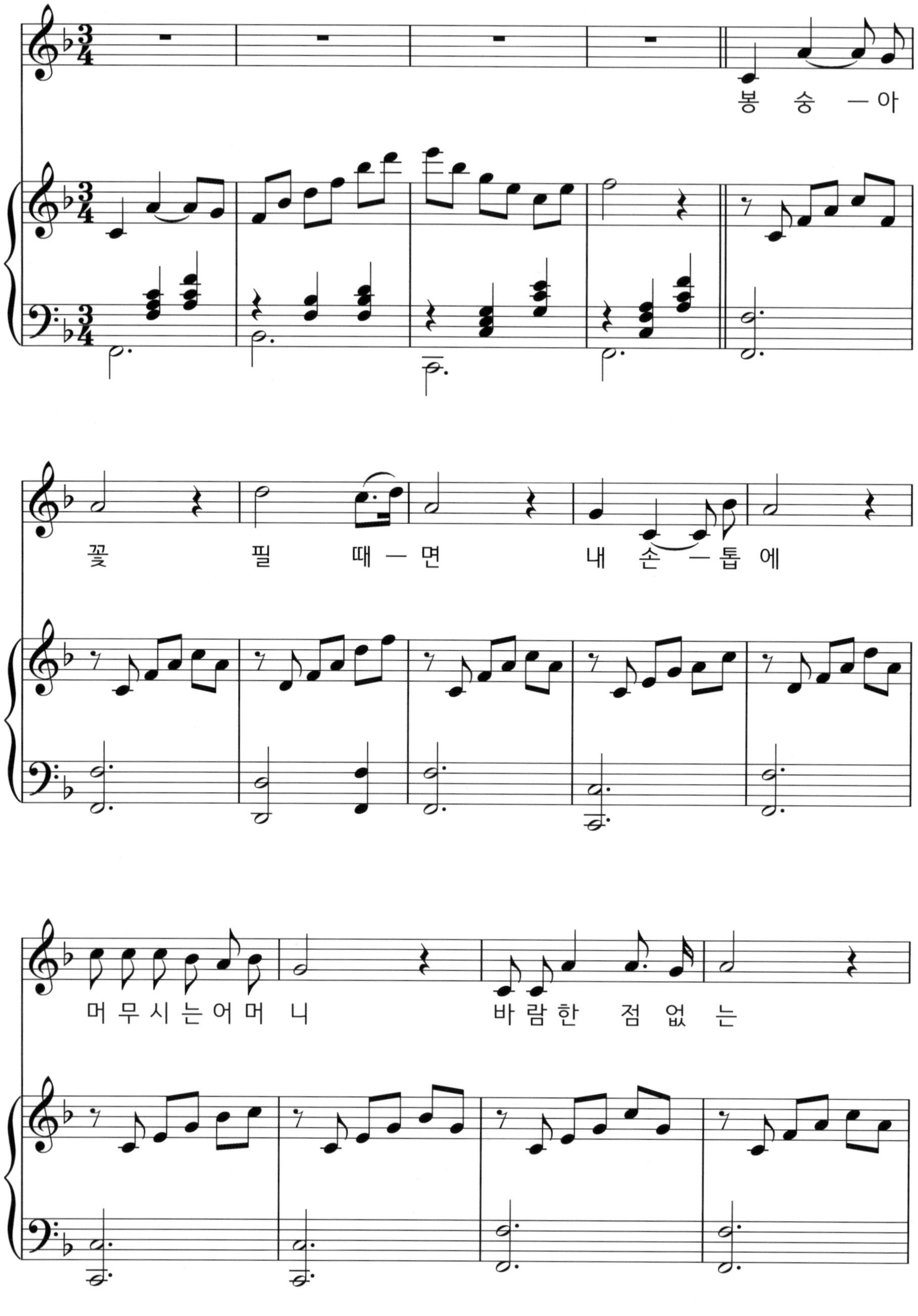
봉 숭 —아
꽃 필 때—면 내 손 —톱 에
머 무 시 는 어 머 니 바 람 한 점 없 는

여 름 날 뜨락 에　　봉 ―숭아 꽃 잎 의

숨 결 ―로　　말 없 는　내 어린손톱

에　　붉 ――은 봉 숭 아 꽃 ―물 들 이 며

열 손가락마 다 깊 고 간철한 사 랑 이 —

오 —래오래 지워지지말라 던 우 리 어 머

니 봉 —숭아꽃 필때면 내 손 톱에와 머 무 시

는 우 리 어 머 니 어 머

A tempo

니

D.S al Coda 어 머 니 ㅡ

D.S al Coda

빈 집

사랑꽃

함영연 작사
송택동 작곡

♩ = 80

묵   묵히어—깨를 내 —어주—는   아   그 — 대

그   — —대의 어 깨 에서   장미꽃으로 피 고

그 대는 내 마음의 쉼 — 터

사랑의 비둘기 되어

간절한 마음으로 ♩= 78

작사 강성남
작곡 김남삼

사 랑을 준 — 다 고   없 어 질 — 리 없 고   사 랑을 가 진다 고   무 거 울 리없 는 데   왜   당 신

은　　　　주지도 가 지지—도않으려하십니까

왜　　　당—신은　　사랑을 모 른채 하십니

까　　　당신 에 게—보냅니다　　한송이

나　의붉은장—미를　　그리고 내 맘에 담습니

다   하얀 웃 음의 꽃 을

그 렇게 도 어 렵습—니까   받 아준다는그한마—디

마 다하시렵니 까 나 는한마리   비 둘기—되어

당신의지—붕위 에서 바라봅—니 다

[간주]

2.

[후주]

바 라 봅 ― 니 다

사랑이 부른다

일송 이미정 작사
송택동 작곡

사　랑이부―른 다　　　눈　물난――다

어　둠 속에그려봐 도　　　애 가 타 는 그 리 움　　　아

포 근한 그대가 슴 따 슨사랑느—낄 때

편 안히기댈수있 는 사 랑나의 사랑 아

그 냥 바라만 봐도— 요동치는 심장 소 — 리

그대― 숨 소―리― 부 드러운살―결

타 는듯한목마 름 불 타오른내마

음 밤 새 못 다 한 사 랑―

파 도소리외침 이 아 쉬운 사—랑—

가 돌—아 서는 사 랑 아

그대— 숨 소—리— 부 드러운살— 결

타 는 듯한 목마 름 불 타 오른 내마

음 아 쉬 운 사ー랑ー가 돌ー

아 서 는 사 랑 아

신명리 동백꽃

김종경 작시
우덕상 작곡

신명리에- 갔었 지   하나뿐인 동 - 백－－－

궁   금- 해   견딜수 없었 지   －

사방에 돋아나는 - 전 율 - 전 율 - - -

동 박새 울음소린 - - - 오늘밤도 - 후두 둑 - -

후두둑 -   후두둑 -   후두둑 - - - - -

겨울 - - - 비 - 소 리 로 - - - - - -

휘모리장단

아침의 향기

이해인 작사
진동주 작곡

엄마눈 아가눈

김 삼 진 작사
정 동 수 작곡

엄마의 눈빛 – 은 – 사랑이 하 나가 – 득 –

엄마의 얼 굴 은 – 선녀의 얼 – 굴 –

포 근한햇 – 살 에 – 잔잔한 웃 – 음 –

아 가의눈 – 속 엔 – 하늘이하나 가 득 –

아가의 눈빛 – 은 – 빛 – 나 는 진 – 주

반짝이 는 눈 빛 - 은 - 마 음 의 - 창 -

창

할 미 꽃

연우김명희 작사
정 연 택 작곡

깊은산 길가 에
깊은산 길가 에

홀 로 핀 - 할 미 - 꽃   언 덕 위 에 외 로 이   서 서
홀 로 핀 - 할 미 - 꽃   언 덕 위 에 외 로 이   서 서

누구를 기-다 리 나
누구를 기-다 리 나

멀리서 불어 오는- -
저멀리 바람 따라- -

봄바람 에 마음설레-어 보라빛 연지-곤-지
그리운 님 만나고싶-어 등굽은 허리-춤-에

81

어여쁘게단장하고 - - 살 - 며시웃음 - 지으며
푸른잎새날개 달고 - - 그 - 리움가득 - 안 - 고

수 - 줍어고개 - 숙였네
수 - 줍어고개 - 숙였네

깊은산 길가 에 서 누구를기 - 다리 - 나
깊은산 길가 에 서 누구를기 - 다리 - 나

언 덕 위 에 외 로 이 　 서 　 서 　 홀 로 핀 - 할 미 - 꽃
언 덕 위 에 외 로 이 　 서 　 서 　 홀 로 핀 - 할 미 - 꽃

꽃 　 　 -
꽃 　 　 -

희망의 언덕

있 고 보라빛 낭만이 출렁이는 곳 휘 파 람

불 며 함께나 가 자

어둠이 새 벽 하늘을열 고 찬 란 한

태양이 손짓하면 장미빛 사랑과 희망의

Cb 이 아니고 C 입니다.

노래가 메아리치는 그곳으

로 우리손잡고 함께가자

자   우 리 손 잡 고   함 께 가 자

파랑새가곡 12집

발   행 | 2024년 1월 17일
저   자 | 송택동
펴낸이 | 한건희
펴낸곳 | 주식회사 부크크
출판등록 | 2014.07.15.(제2014-16호)
주   소 | 서울시 금천구 가산디지털1로 119, SK트윈타워 A동 305호
전   화 | 1670-8316
이메일 | info@bookk.co.kr

ISBN | 979-11-410-6735-9

www.bookk.co.kr